Wyt ti'n gwybod

Ar y fferm

www.peniarth.cymru

Cynnwys

Wyt ti'n gwybod

Mae Noa a Nima yn mynd am dro i'r fferm.

Maen nhw'n gweld...

defaid yn pori

ŵyn bach yn prancio

5

Maen nhw'n gweld...

iâr yn eistedd ar nyth
ac yn dodwy wyau

wyau

cwt ieir

cywion yn pigo

Maen nhw'n gweld...

Mwww!

buwch yn brefu

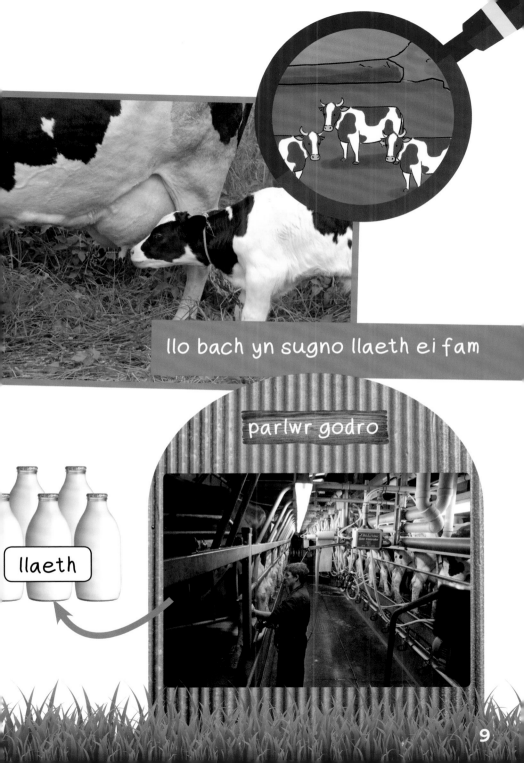

llo bach yn sugno llaeth ei fam

parlwr godro

llaeth

Maen nhw'n gweld...

mochyn yn y twlc

Gwiiich!

moch bach yn gwichian

moch bach yn sugno llaeth yr hwch

mochyn yn rholio yn y mwd

11

Maen nhw'n gweld...

tractor

Cae yn cael ei aredig

peiriant plannu tatws

13

Mynegai